CARL SPITZWEG

E. Grützner. 84.
MEG

CARL SPITZWEG

Einleitung von Horst Koch

mit 126 Abbildungen
davon 36 Farbreproduktionen

ARTBOOK INTERNATIONAL

Herausgegeben von Otto Lorenz

Printed in Germany – Imprimé en Allemagne
ISBN 3-7635-0080-4

Leben ist: Die Lust zu schaffen,
anders Leib und Seel erschlaffen.

Carl Spitzweg

„Die einzig wahre Quelle der Kunst ist unser Herz, die Sprache eines reinen kindlichen Gemütes." (Caspar David Friedrich)
Dieser Satz trifft für viele wahre Künstler zu, hat aber gleichzeitig als Leitmotiv für Spitzwegs Leben und Werk besondere Gültigkeit.

Carl Spitzweg wurde 1808 in München geboren. Sein Vater war ein praktisch denkender, sein Vermögen mit Bedacht mehrender Mann. Er führte sein Geschäft mit Umsicht, ließ seinen drei Söhnen die beste schulische Erziehung angedeihen und plante auch ihre Berufe weitsichtig. Während der Älteste die väterlichen Geschäfte übernehmen sollte, war für Carl der Beruf des Apothekers vorgesehen, dem Jüngsten war die Medizin zugedacht. So sollten die Söhne sich gut in die Hände arbeiten.

Der Vater stammte aus einer bäuerlichen Gastwirtschaftsfamilie aus dem Münchner Umland, hatte – durchaus ungewöhnlich für seine Kreise – die Erlaubnis zum Besuch höherer Schulen in München erhalten, und schaffte es, diese Schulen und die nachfolgende Kaufmannsausbildung mit größtem Erfolg zu durchlaufen. Nicht genug damit. Er ging nach seinem Ausbildungsabschluß ins Ausland, lernte Sprachen und wurde ein weltgewandter Mann. Zurückgekehrt nach München, schaffte er binnen kurzem den Sprung zu eigener Firma und eigenem Haus, heiratete und gewann rasch an Ansehen und Vermögen.

Für den jungen Carl Spitzweg waren die gutbürgerliche Herkunft und die weitreichenden Verbindungen des Vaterhauses von großer Bedeutung. Er begann, nach absolviertem Gymnasium, wunschgemäß mit der Lehre des angesehenen Apothekerberufes in der königlich bayrischen Hofapotheke des Dr. Pettenkofer. Dies geschah im Jahre 1825, in welchem Ludwig I. zum König von Bayern gekrönt wurde und in dieser Eigenschaft auch die Schirmherrschaft über die Akademie der Bildenden Künste übernahm; eine Tatsache, die für die Entwicklung Münchens zur Kunststadt von ungeheurer Bedeutung war.

Schon immer hatte Spitzweg gerne gezeichnet und nun, als Apothekerlehrling, regte ihn der Umgang mit den Kunden vermehrt dazu an. Ausgeprägte Charaktere verschiedener Stände und Berufe interessierten ihn besonders, er hielt sie, im Verborgenen zeichnend, in seinen Notizbüchern fest. Ansich war die Tatsache, daß er zeichnete, nichts Außergewöhnliches. Damals war es in gebildeten Kreisen durchaus üblich, Eindrücke und Ereignisse zeichnend festzuhalten. Es war dies neben der Beschreibung die einzige Möglichkeit, Erinnerungen aufzubewahren, man kannte ja die Fotografie noch nicht. Ein genaues Sehen war sozusagen anerzogen, denn wer etwas abzeichnen wollte, mußte sich Proportionen und Details genau einprägen. Eine Fähigkeit, die heute verflacht oder ausgelöscht ist.

1828 beendete Spitzweg seine Lehre in der Apotheke des Dr. Pettenkofer, blieb noch ein Jahr als Gehilfe dort tätig und ging dann als Provisor an die Löwenapotheke nach Straubing.

Die Straubinger Apothekerzeit wurde zu Seinem fröhlichen Abschnitt in Spitzwegs Lebensgeschichte. Beruflich brachte ihm die Tätigkeit kaum etwas. Die Fortbildung war – wie Spitzweg gelegentlich durchblicken ließ – recht mäßig. Um so anregender gestalteten sich hingegen Freizeit und Lebensumstände in der behäbigen Gäubodenhauptstadt. Spitzweg genoß mit gleichgesinnten Freunden das Leben in vollen Zügen. Er fand Anschluß an einen munteren Kreis von Künstlern und Theaterleuten. Erstmals blickte er hinaus aus seiner bürgerlichen, korrekten Welt in lockeres, konventionsloses Künstlerleben und fand darin große Anregung. Die Nächte saß er mit trinkfesten und lustigen Freunden zusammen, freute sich über die Gesellschaft netter Mädchen und war alles andere als ein Griesgram. Straubing besaß ein florierendes Liebhabertheater. Zum Kreis der Mitspieler fand Spitzweg rasch Kontakt. Kulissen und Ausstattung wurden seine gerne bewältigte Aufgabe, auch dilletierte er selbst am Theater in Rollen als jugendlicher Liebhaber und, wie Zeitgenossen berichteten, nicht nur auf der Bühne. „Ohne Zweifel stand der junge Provisor im Banne des Theaters mit seiner tragisch ironischen Illusion, und auch hier, beständig gefesselt, hat Spitzweg nachmals ein Traumbild ausgemalt. Er studierte die Komödianten mit Liebe; dem „Fahrenden Volk" blieb er zugetan. Das Motiv der „Reisenden Schauspieler", geistvoll abgewandelt, begegnet uns im Werk des Meisters auffallend oft. Spitzweg liebte insgeheim die Ungebundenheit des Komödiantendaseins, den freien Lebensstil dieser Menschen, die bald hier, bald dort waren und dennoch immer in der eigenen Welt. Er setzte sie in herrliche Naturszenen, vergegenwärtigte hierin mit großer Kunst

und stärkster Einfühlung Leben, Atem und Licht der freien Natur. Von einem (halbmeterbreiten) Bild, um 1863 gemalt, trennte sich Spitzweg nie: es zeigt eine ,,Künstlergesellschaft im Grünen". Nach Elsens Urteil ist dieses figurenreiche, brillante Gemälde als ein Schlüssel der Münchner Malerromantik, eines frohgemut heiteren gesellig-gestimmten Biedermeier anzusehen, ein Gemälde, das in der neueren Künstlergeschichte Münchens nicht seinesgleichen hat". (M. Dirrigl)

Doch nicht nur das jugendliche Komödiantendasein brachte im jungen Spitzweg schlummernde Talente zum Ausbruch. Die idyllische Kleinstadtatmosphäre beeindruckte ihn stark, entpuppte sich als seine ureigenste Welt. Das malerische Winkelwerk der engen Gassen, die vielfältige Architektur einer in Jahrhunderten gewachsenen unzerstörten Kleinbürger-Stadtlandschaft mit all ihren lauschigen Gängen, Dächern und Türmen, voll von Freundlichkeit, Sonne und menschlicher Wärme, wurde ihm Heimstatt und innerlich gespeicherter Kern seiner späteren Kunst; eine Vielzahl seiner damaligen Zeichnungen flossen in späteren Jahren in seine Bilder ein.

Es folgte das Studium der Pharmazie an der Münchner Universität, dem er mit Fleiß und Gewissenhaftigkeit anhing, ohne freilich den Freuden des Lebens abhold zu sein. So schrieb er an seinen Bruder: ,,. . . Der Carneval hat angefangen und's Geld schreit alleweil: Laß mi aus! Ich war schon auf drei Bällen und so Gott will, muß ich heute auch wieder auf einen, auf die Schießstätte . . . Ich werde schrecklich strapaziert, und bin sehr froh, wenn die Fastnacht aus

ist. Wie bringst Du sie zu? Walzen die Triestiner auch wie die Münchner? Haben sie auch so entzückende Karlsbader Tänze wie wir? Und hübsche Tänzerinnen wie wir? Auf dem Eise im Englischen Garten werden jetzt Schlitten ausgeliehen, worin sich die Damen von den Herren auf dem Eise spazierenführen lassen . . . Gestern abends war bei uns ein so dicker Nebel, daß man die Hand vor dem Gesichte nicht sehen konnte – wenn man die Augen zu hatte . . ."

Nun ereigneten sich für Carl Spitzweg in rascher Abfolge einige einschneidende Schicksalswendungen. Sein älterer Bruder, vom Vater für die Übernahme des Handelshauses ausersehen, erlernte den Beruf zunächst in Augsburg, wandte sich dann nach Triest und 1826 schließlich, einer interessanten kaufmännischen Tätigkeit nachgehend, nach Alexandrien. Während dieser Abwesenheit im fernen Ägypten starb der Vater in München. Der tiefbekümmerte Sohn wollte so schnell als irgend möglich zurück zu seiner Familie, doch steckte er sich an der Pest an – deren regelmäßig auftretenden Epidemien er in Ägypten immer entgangen war – und verstarb ebenfalls ganz plötzlich. Carl und sein jüngerer Bruder hatten ihrer Mutter nun bei der Führung des väterlichen Geschäftes beizustehen. Es zeigte sich jedoch alsbald, daß die Mutter dem Geschäft sehr wohl vorzustehen wußte, hatte sie doch während umfangreicher politischer Betätigungen des Gatten schon die Geschicke des Hauses gelenkt. So setzte Carl sein Apothekerstudium fort, während der Bruder Eduard, wie schon der ältere Bruder, zur Fortbildung eine Tätigkeit in Triest aufnahm. Im Frühjahr 1830 erkrankte auch Eduard schwer, und Carl Spitzweg eilte, den Verlust von Vater und Bruder noch vor Augen, mit der schnellsten Kutschenverbindung nach Triest. Der Bruder genaß, doch diese erste Reise in eine ihm bislang unbekannte Welt war der Keim für seine, die nächsten Jahrzehnte erfüllende, Sehnsucht in die Ferne und die anhaltende Lust zum Reisen.

Schon zwei Jahre später veranlaßte das erfolgreich bestandene Staatsexamen den jungen Apotheker zu einer neuen Reise nach Triest, wo er den Bruder, der ihn noch in Examensnöten vermutete, überraschte. Dann ging es weiter nach Venedig, das ihn tief beeindruckte. Es folgten Florenz, Rom, Neapel, Mailand und Trient. Das Erleben dieser Städte mit ihrem unerschöpflichen Kunstgeist füllte nicht nur seine Skizzenbücher mit Zeichnungen, es erfüllte auch ihn mit dem Wunsch, sich selbst der Kunst zu widmen und Maler zu werden.

Der Entschluß fiel Spitzweg nicht leicht. Er steckte in einer schweren seelischen Krise, in der er sich für sein weiteres Leben entscheiden mußte. Äußerlich kam zu der belastenden Lebenssituation eine schwere Erkrankung hinzu, wie man heute vermutet, Typhus. Zur Auskurierung des Leidens fand sich Spitzweg zu einer Kur in Bad Sulz ein, einem kleinen Kurort am östlichen Anhang des Peissenberges bei Weilheim in Oberbayern gelegen. Der leitende Arzt Dr. Zeuss verordnete seinen Patienten zur Unterstützung des Kurzieles künstlerische Betätigung. Es hatte sich im Umkreis des Sanatoriums ein kunstsinniger Kreis gebildet, mit dem Spitzweg nun in engen Kontakt kam. Vor allem der Landschaftsmaler Christian Heinrich Hansonn nahm sich des jungen Mannes an, erkannte sein Talent und gab ihm den Anstoß zur endgültigen Entscheidung. Hansonn stammte aus Altona und war zu dieser Zeit der Mittelpunkt des Kreises der Münchner Landschaftsmaler, dem Spitzweg durch Hansonn näherkam und alsbald Aufnahme fand.

Hier nun festigte sich sein Entschluß, den Beruf des Apothekers nicht länger auszuüben, sondern fortan die Malerei ernstlich aufzugreifen. Eine große Erbschaft, die ihn materiell lebenslänglich unabhängig machte, erlaubte ihm diesen Schritt vom kommerziellen Leben hin zum Künstlertum, das damals im Kreise der kleinstädtischen Bürger durchaus noch keine sehr hohe gesellschaftliche Anerkennung gefunden hatte. So schreibt Wilhelm Spitzweg in seinem Buch 'Der unbekannte Spitzweg': ,,Welch schwierigen und unsicheren Weg er damit beschritt – im Gegensatz zur geebneten Laufbahn des approbierten Apothekers –, dessen war sich der gewissenhafte, nicht zur Kühnheit neigende Carl Spitzweg wohl bewußt. Um so höher ist seine klare Entscheidung zu veranschlagen, die den streng bürgerlichen Ansichten der Familie zuwiderlief. Zum Besuch der Akademie fühlte sich der 27 jährige zu alt – sie wäre auch nicht der Boden für sein Weiterstudium gewesen, nachdem dort unter dem allgewaltigen Akademiedirektor Peter Cornelius nur die Karton- und Freskenmalerei etwas galt, das Landschaftsmalen und das Genre aber gänzlich verworfen wurde. So mußte er sich als Autodidakt durchschlagen, wie der fast gleichaltrige Adolph Menzel. Sein erster Führer und Ratgeber wurde Hansonn.

Zu den 'Pollinger Landschaftern', zu dem Sachsen Bernhard Stange, dem Rheinländer Philipp Voltz gesellten sich andere wie Lichtenheld, Veith u.s.w. Nachmittags tagte dieser Kreis unter Eduard Schleichs Vorsitz im Café Schaidel in der Kaufingerstraße. Den Abend beschlossen oft ausgedehnte, zuweilen stürmische Sitzungen im Stubenvollkeller am Unteranger, sehr zum Mißfallen der Gäste, die in Ruhe ihren Abendtrunk genießen wollten. Die dort beim schäumenden Bier und im Qualm des Tabaks entwickelten Kunsttheorien gewannen bei Spitzweg nun auf den meist mit Schleich und Stange unternommenen Wanderungen Form und Gestalt: in den Skizzenbüchern, als getuschte Zeichnungen oder Aquarelle anfangs, später auch auf der Leinwand."

Schon mit 16 Jahren hatte Spitzweg begonnen mit Ölfarben zu malen. Nun begann er sich, mit Hilfe des neugewonnenen Freundeskreises, als Maler weiterzubilden. Durch B. Stange, der ein Schüler C.D. Friedrichs war, kam Spitzweg zu einem engeren Verständnis der Gedankenwelt und der Malweise des großen nordischen Meisters. Friedrich war wie eingesponnen in die Symbole und Sinnbilder romantischer Kunst. Für ihn mußte jede Figur so und nicht anders in der Landschaft stehen. Seine Landschaften selbst waren auf das Genaueste beobachtete Natur. Einen Sonneneinfall etwa in einem falschen, der Tageszeit nicht exakt entsprechenden Winkel darzustellen, war für Friedrich völlig undenkbar. Er war eins mit seiner Natur und seine Könnerschaft beherrschte mit absoluter Sicherheit all jene unzähligen Nuancen und Details, aus deren organischem Zusammenhang die echte Natur besteht. So baute Friedrich seine Bildaussage stets auf eine Naturstimmung auf, die empfindungsgemäß eine vollkommene Harmonie mit den dargestellten Personen oder Geschehnissen ergab. Spitzweg nahm diese Erkenntnisse des Meisters auf, doch war er innerlich nicht mehr der romantischen Ideenwelt verwurzelt. Wohl hat er Landschaftshintergründe wie Friedrich, doch seine Figuren sind keine romantischen Heroen mehr, sie sind Kleinbürger mit durchaus lächelnden Zügen und in ihren Bewegungen nicht von Friedrich'schem Ebenmaß, sondern so lebendig, als würden sie sich in ihrer Szene jeden Augenblick verändern. C.D. Friedrich war gewohnt, den in sein Bild gestellten Menschen in kosmischem Zusammenhang zu sehen. Die Spitzweg'schen Menschen sind beschränkt auf eine kleine Welt und es ist ihre Eigenart, daß sie sich innerhalb dieser mit nebensächlichen Dingen beschäftigen was ihnen den so wohltuenden Zug warmer Gemütlichkeit gibt. Spitzwegs Romantik ist ein heiter-satirisches Szenarium, in das er das ihn umgebende kleinstädtische Leben seiner Mitmenschen einbezog. So ist ihm später der Schritt zur Genremalerei problemlos gelungen.

1835 ließ er sich als Mitglied des Münchner Kunstvereins eintragen, insbesondere fühlte er sich dem Kreis der Münchner ,,Landschafter" verbunden. Sein erstes wichtiges Gemälde, in dem er sich als Maler beweisen wollte, ist ,,der arme Poet". Dieses Bild reichte er zur Ausstellung im Münchner Kunstverein ein. Die Jury nahm das Bild nur auf, weil sich seine Freunde für ihn einsetzten und weil man ihn als ,,Münchner" nicht abweisen wollte. Seinem Bild wurde jedoch ein unvorteilhafter Platz zugewiesen, in der Erwartung, es

würde vom Publikum übersehen, denn der Ausschuß selbst konnte ihm keine Anerkennung zollen. Die Thematik des Bildes war für die damalige Zeit nicht ungewöhnlich, trotzdem war Spitzweg über das Echo beim Publikum überrascht. Wie er jedoch bemerkte, sahen die Leute nicht die von ihm in das Bild gelegte Problematik, sondern waren vielmehr durch die Art der Darstellung mit all dem Beiwerk amüsiert. Der Maler mußte erkennen, daß er mit seinen Vorstellungen gegen die Denkweise dieses satten Kleinbürgertums mit seiner biederen, ein wenig einfältigen Selbstgefälligkeit nicht würde ankommen können und so beschloß er, den Leuten das zu geben, was sie offenbar gerne hatten: etwas, worüber sie lachen konnten, wo sie spaßhafte Situationen miterleben konnten, nicht ahnend, daß eben sie Spitzweg zu diesen Darstellungen angeregt hatten. Er wollte ihnen seine Auffassung in ihrer Leseart präsentieren. Diese erste Ausstellungserfahrung und die aus Menschenkenntnis daraus resultierende Folgerung, gab seinen Bildern die Tendenz zu heiteren Bildgeschichten.

Die ersten drei Jahre seines Malerlebens waren jedoch von recht mangelhaftem Publikumserfolg begleitet. Im Mai 1936 schrieb er: ,,Gerade krieg ich meinen 'Besoffenen', den ich nach Augsburg zur Ausstellung in den Kunstverein schickte, wieder zurück. Ich weiß nicht, hat er ihnen gefallen, gekauft haben's ihn nicht, vermutlich, weil ich zuviel dafür verlangt hab. Ich sieh's schon, wenn ich von der Malerey leben müßte, ging's mir schlecht – wird schon werden." Die vage Hoffnung wurde allmählich zur Wirklichkeit. In den

folgenden Jahren verkaufte Spitzweg einige Bilder durch Ausstellungen in verschiedenen Kunstvereinen, wobei nicht selten die Kunstvereine selbst die Bilder ankauften. So zum Beispiel 1838 der Kunstverein Nürnberg der die 'Hosenflickende Schildwache' erwarb, um sie, zusammen mit Bildern anderer Künstler, in einer großen Verlosung weiterzugeben. Spitzwegs Bild gewann ausgerechnet die Vorsteherin eines Mädcheninstituts in Dessau, die aus Gründen der Sittlichkeit einen Austausch des Bildes erwirkte. Wilhelm Spitzweg berichtet zu diesem Ereignis: „Als die Kunde hiervon zu den zechenden Kunstjüngern des Stubenvollkellers drang, sollen die Wände der biergeschwängerten Stammkneipe von homerischem Gelächter gedröhnt haben."

Bei genauerer Betrachtung von Spitzwegs Bildern und Thematik läßt sich eine humorvolle, liebenswürdige Zeitkritik nicht übersehen, dezent verborgen in seinen Figuren und Szenarien. Immer stellt er nur seine Zeit dar, er will das bunte, oft Anekdoten gleichende Leben mit all seinen Gewohnheiten festhalten. Der ihm eigene Münchner Humor, der immer ein wenig Ironie und auch ein kleinwenig Schadenfreude enthält, ist in jedem Detail seiner Bilder zu spüren. Neugierde oder Eigensucht, Schüchternheit oder Hingabe, all diese Wesenseigenheiten oder Unarten stellt er zwar schonungslos, aber stets gemütvoll dar. Er war ein Meister des Details. Die dargestellten Menschen, Charakterstudien gleich, werden in ihrem Ausdruck durch jeden der sie umgebenden kleinen Gegenstände und scheinbaren Nebensächlichkeiten noch wesentlich präzisiert. Die Subjektbezogenheit in Spitzwegs Bildern ist faszinierend.

Der Münchner Landschafterkreis war für Spitzweg nicht nur der Anregungskreis für seine autodidaktische Fortbildung, er war auch der Quell wertvoller Freundschaften. Am engsten und anhaltendsten war er mit Eduard Schleich d.Ä. verbunden, der aus der Nähe von Landshut stammte und unter den Münchner Landschaftsmalern als die große Hoffnung galt. Mit E. Schleich und B. Stange unternahm Spitzweg viele gemeinsame Fahrten in die nähere und weitere Umgebung Münchens, um Landschaft und Leute in sich aufzunehmen und in seinen Bildern wieder aufleben zu lassen. Dabei berichtet Spitzweg, mit dem gleichen Humor, der seine Bilder beseelt, dem Bruder über die Fährnisse des Malens in freier Natur:

,,Ich nehme meinen Malsack der nicht leicht, aber vielleicht 15 Pfund schwer ist auf die Schulter; im besten Humor, mit den besten Vorsätzen und mit den schönsten Hoffnungen ziehe ich aus. Ein herrlicher Morgen! Bergan! Dort muß es schöne Parthien geben. Ich keuche mich halbtodt, bis ich ein paar 1000 Fuß über der Meeresfläche bin, und sehen zu meinem größten Vertruße, daß das Ganze wohl von unten hübsch ausgesehen haben mag, aber oben nichts zu suchen sey. Derweil wird's schon heiß. Du suchst also in der Schnelligkeit das Nächstbeste, um nur nicht umsonst so weit gerannt zu seyn, und fängst in Gottesnamen an. Kaum sitzest du eine halbe Stunde, so kommt eine Kuh – oder ein paar – und fangt eine Attaque mit meinem Füchsel (so heißt mein brauner Spitz) an. Du schlichtest den Streit mit tüchtigen Hieben, aber des Kriegführens in den Bergen nicht kundig, glitschest du, zerreißt dir die Hose und zerstichst dir das Gesicht an Dornen, und das alles wegen des vermaledeyten Viehes. Das Vieh (als das Gescheidtere) gibt endlich nach. Du willst wieder fortarbeiten, bist aber ganz in Wallung, sollst feine Linien ziehen, kleine Ästlein, machen, und Lichttüpferl so klein wie eine Nadelspitze aufsetzen. Die Linien werden krumm, die Ästlein Stämme und Lichttüpferln unförmliche Farbenkleckse an Orten, wo sie nicht hingehören. Jetzt wirst rabiat, fuchti im höchsten Grad. Mit dem Vieh sind aber auch eine Unzahl Fliegen, Schnacken, Bremsen und anderes Gesindel gekommen. Ehe du's merkst, hat schon eine deine linke Hand angezapft und du schlägst sie auf dem Flecke todt. Während du aber zum Schlage aushebst, surrt auch eine um deine Nase. Du fährst also schnell auf, mit dem Ärmel von deinem Hemde über deine nasse Ölskizze, so daß die Ästleins und Lichttupferln alle auf dem Ellenbogen sitzen. Jetzt kannst du nochmals fuchtig werden, wenn du willst. Doch du mäßigst dich, und fängst an, das Dings wieder auszubessern. Da kommt auf einmal ein Windstoß und nimmt dir das Parasol und führt es durch die Lüfte. Du dahinter her wie besessen. Denn noch 10 Schritte, so weht es der Wind in den Abgrund, in den Waldbach, in den See. Du kriegst es nimmer. Endlich hast du es. Auf dem Rückweg zu deinem Malplatze verfinstert sich die Sonne, du bemerkst mit einigem Mißvergnügen, daß die Beleuchtung fort, daß ein Wetter kommt. Wie du zu deinem Stuhl kommst, liegt der auch vom Winde umgeworfen auf dem Boden, und deine nasse Ölstudie mit dem Antlitz auf der Erde. Du hebst die Geschichte auf und hast jetzt eine Sammlung von mineralogischen, botanischen und zoologischen Seltenheiten auf dem Papiere kleben, die dich rasend machen könnte. Du versuchst, so lange die Sache noch naß ist, mit dem Messer zu säubern, derweil kommt das Wetter, patschnaß wie ein Hund, von Schweiß und Regen triefend kommst du ins Wirtshaus . . ."

Kaspar Braun, der Verleger der populären ,,Fliegenden Blätter", verkehrte ebenfalls im Kreis der Münchner Landschaftsmaler. Spitzwegs Bilder waren beim Publikum beliebt, es lag also nahe, ihn um Illustrationen für die Zeitschrift zu bitten, eine Anregung, die er gerne aufgriff. Allerdings war Spitzweg kein Grafiker, Holzschnitte und Radierungen lagen ihm nicht, sein Metier war die Bleistiftzeichnung. Er war von 1844 bis 1852 Mitarbeiter der Zeitschrift, wobei er, – wie das auch heute noch üblich ist – seine Beiträge als Zeichnungen einreichte. Der Verlag Braun & Schneider hatte einen Stab hochqualifizierter Holzschneider, die einkommende Zeichnungen mit großer Akribie auf Holz übertrugen, da Illustrationen vor der Erfindung des auf photographischem Wege hergestellten Klischees als Holzschnitt oder Holzstich ausgeführt wurden. Die Meisterschaft der Mitarbeiter des Verlages war so groß, das sogar Holzschnitte nach Spitzweg-Zeichnungen in Mappen mit limitierter Auflage gedruckt wurden, die Spitzweg signierte.

Ein weiterer Künstler sollte für Spitzweg sehr wichtig werden: der Wiener Moritz von Schwind. Er kam 1847 nach München, wo sich die beiden Maler in der ,,Liedertafel" kennenlernten und befreundeten. Schwind war einem Ruf an die Akademie nach München gefolgt, wo mit ihm endlich ein Romantiker eine Professur erhielt. Sein Hauptinteresse galt der Darstellung des deutschen

Märchengutes, das ja durch die Romantiker gerade wiederentdeckt wurde, und seine Illustrationsfolgen zählen zum Besten was auf diesem Gebiet geschaffen wurde. Spitzweg hat ihm vor allem als Zeichner viel zu verdanken.

Die allgemein umsichgreifende Unruhe, die u.a. der Lola-Montez-Skandal 1847 und die Revolution 1848 unter den Bürgern verbreitete, veranlaßten auch Spitzweg und seine Freunde zum Eintritt in das ,,Münchner Künstler-Freikorps". Diese Bürgerwehrgruppe animierte den flinken Zeichner Spitzweg unverzüglich zu der Karikaturenserie ,,Freikorps Wachstubenfliegen", in der er unverfroren die politischen Verhältnisse anprangerte. Die Zeichnungen wurden spornstreichs wiederum in Holz geschnitten und in den 'Fliegenden Blättern' publiziert.

Die Lebenszeit Carl Spitzwegs war für seine Heimatstadt München eine Zeit der gewaltigen Veränderungen. Ein Mann aus Spitzwegs Künstlerstammtischrunde, der Dichter Felix von Schiller, verfaßte in jenen Jahren den ersten Führer durch die Sehenswürdigkeiten Münchens. Und etwa 1880 stand in Münchner Reiseführern zu lesen: ,,Wenn nun auch München jetzt eine ganz neue Gestalt gewonnen hatte, so ward es doch das, was es heute ist, erst unter der Regierung König Ludwig I. (1825-1848), der ,,München zu einer Stadt machen wollte, daß niemand Deutschland kennt, ohne nicht auch zugleich München zu kennen". Schon als Kronprinz hatte dieser kunstsinnige Fürst reges Interesse für Verschönerung der Stadt durch Schaffung zahlreicher Neubauten an den Tag gelegt. Als König gelangten diese Bestrebungen erst zur

vollen Geltung. Mit Hilfe der ersten Künstler seiner Zeit, welche er nach München berief, sind die vielen Kunstwerke entstanden, denen wir auf Schritt und Tritt begegnen. Es würde zu weit führen, wollten alle seine Schöpfungen hier aufgezählt werden: in der Beschreibung der Sehenswürdigkeiten ist ihrer entsprechend gedacht.
Was König Ludwig I. begonnen, setzte sein Sohn König Maximilian II. (1848-1864) fort. Er ergänzte das Werk des Vaters mit Anlage der Maximilianstraße, des Nationalmuseums, des Maximilianeums und insbesondere der herrlichen Gasteiganlagen.
Die Steigerung des Handels und Verkehrs, der fortgesetzte Bevölkerungszuwachs, hauptsächlich aber die Förderung, welche König Ludwig II. (1864-1886) der Kunst und dem Kunstgewerbe angedeihen ließ, machten es möglich, daß München seine bevorzugte Stellung als Kunststadt bis auf den heutigen Tag sich erhielt."

Der überlieferte Briefwechsel zwischen Carl Spitzweg und seiner Familie schildert immer wieder die gewaltigen baulichen Veränderungen in der Stadt. Je nach Sicht konnte man diesen Umbruch positiv sehen, konnte man begeistert sein von dem monumentalen Eindruck der neuen und prächtigen Straßenzüge. Oder aber – und hier scheint man Carl Spitzwegs Meinung einstufen zu sollen – verschwand mit den Prachtboulevards Stück für Stück der alten historisch gewachsenen Siedlungsstruktur. Hermann Uhde-Bernays, Spitzwegs erster umfassender Biograph, beschrieb die Situation folgendermaßen: „Wenn man die Schiliderungen Münchens in Friedrich Pechts 'Lebenserinnerungen' liest und sie vergleicht etwa mit Friedrich Hebbels Briefen aus

München, die für die Geschichte der literarischen und künstlerischen Entwicklung Münchens am Ende der dreißiger Jahre eine der wichtigsten Quellen bilden, erscheint die absprechende Kritik dieser Übergangsperiode, in welcher Carl Spitzweg seine Jugend- und Lehrjahre verbrachte, dadurch bezeichnend, daß die äußeren Veränderungen der Stadt auch den in ihr wohnenden Menschen umwandelten. Hebbel bemerkt: 'Vorzüglich fesselt an München, daß die Stadt noch nicht fertig ist, daß sie sich täglich verändert, gleich demjenigen, der in ihr wohnt. Den chamäleonartigen Menschen drückt die eherne Dieselbigkeit der Natur . . . München scheint mit sich selber im Kriege zu liegen. Man weiß nicht, wird die neue Stadt die alte verzehren oder diese jene, und hierdurch nehmen Häuser und Straßen, die anderwärts bei der Ewigkeit verassekuriert zu sein scheinen, die Farbe des auf Kampf und Anstrengung verwiesenen jungen Lebens an. Der Fremde, der eben die stolzesten Gebäude erblickte, sieht sich seltsam überrascht, wenn er endlich in das alte München hineintritt und sich überzeugt, daß der Weg schöner war als das Ziel.

Trotz seiner zahlreichen Reisen hatte Spitzweg der Münchner Gemütlichkeit und Beschaulichkeit bisher die höchste Bedeutung für sein eigenes Tun und Treiben eingeräumt. Wohl wird er erstaunt über die Brillengläser geguckt haben, als die Bauten der Ludwigs-, Theresien- und Briennerstraße entstanden, und der Münchner, bisher gewohnt, nur nach zwei Hauptstraßen und vier Stadtvierteln um den Marienplatz zu unterscheiden, neue Namen merken mußte."

Anders als der junge Apotheker und der angehende Künstler, der aus der Heimat hinauszog, die Welt zu sehen und auf weitläufigen Fahrten den Süden, vor allem Italien, zu erforschen, unternahm der arrivierte Künstler Reisen, um den großen Strömungen der Malerei nachzugehen und mit nunmehr geschultem Auge Kunstwerken weitere Erkenntnisse für die Vervollkommnung eigenen Schaffens zu entnehmen.

Die romantisch-realistischen Arbeiten der beiden Franzosen Eugène Isabey und Alexandre Decamps, im Schloß Pommersfelden in Franken zugänglich, erregten das Interesse der beiden Künstler Spitzweg und Schleich. Vor allem waren es die souveräne Behandlung des Lichtes, sowie die tonige Feinheit des Kolorits, die die beiden Münchner 1849 zu einem sechsmonatigen Aufenthalt in Pommersfelden veranlaßten, wo sie sich durch fleißiges Kopieren in der Technik der Franzosen schulten, was insbesondere bei Spitzweg zu einer Änderung seiner Malweise führte. „Außer unserer Coupier- und Studierzeit sind wir einer gräulichen Langeweile anheimgegeben . . . Gegend ist eigentlich gar keine hier, . . ." schreibt Spitzweg über den Aufenthalt in Pommersfelden.

Eine Fülle von Erlebnissen hatten die Freunde hingegen zwei Jahre später, 1851, als sie mit einer großen Gruppe, der neben Carl Spitzweg und Eduard Schleich auch Spitzwegs Bruder und die Maler Tischbein, Ebert und Christian Morgenstern angehörten, nach Paris zur Weltausstellung fuhren. Die enorme Reiselust der Freunde wurde durch den rasanten Verkehrsausbau jener Jahre sehr gefördert. Während das Reisen noch fünfzig Jahre vorher eine langwierige

und beschwerliche Angelegenheit war, fuhren inzwischen die ersten Eisenbahnen und die Post befand sich im Stadium der höchsten Entwicklung. Bequeme und rasche Kutschenverbindungen bestanden nach allen wichtigen Orten und die Geschwindigkeit, mit der die Post befördert wurde, kann uns heute nur mit Neid erfüllen wenn man bedenkt, daß in München täglich zehnmal Post zugestellt wurde.

Paris wurde für Spitzweg und Schleich durch den Kontakt zu den Malern von Barbizon von Bedeutung. Rousseau, Corot, Millet, Diaz, Troyan, Dupré u.a. hatten sich verstärkt der „paysage intime" gewidmet und sich die Motive im Wald von Fontainebleau gesucht, wobei ihr bevorzugter Wohnort das Dorf Barbizon war. Die malerischen Erkenntnisse jenes Kreises wurden von den deutschen Kollegen unverzüglich aufgenommen.

Die Münchner Maler waren als Suchende gekommen. Das Erstrebenswerte war ihnen wohl bewußt, doch fehlten ihnen noch die Mittel. Die Maler von Barbizon hatten sich so weit in die Natur vertieft, daß sie ihren Bildern jene Vollkommenheit verleihen konnten, die sich Spitzweg und Schleich erträumten. Nun offenbarte sich ihnen in der Kunst der Franzosen die malerische Fähigkeit zur Gestaltung intimer Natur im Bild.

Spitzweg war zu einer glücklichen Zeit nach Paris gekommen. Er genoss die herrliche Stadt und erlebte sie in dem Bewußtsein das Schöne zu erkennen. Zudem befand er sich im besten Alter, in welchem sich Aufnahmelust und kritische Unterscheidungsfähigkeit die Waage halten. Der Umschwung von

der klassizistischen Kunst zur malerischen Freiheit, das Aufsuchen und Studieren der Natur, die rein sachliche Freude am Objekt, das in seiner wechselseitigen Beziehung zu der es umgebenden Luft, dem Licht, den benachbarten Farben ergriffen wurde – das traf mit den künstlerischen Gedanken des Malers Spitzweg wundervoll zusammen. „Er sah sich in der Ausstellung ganz in die Bilder des Delacroix und Diaz ein. So verdankt er jenem die leider nur auf einer kleinen Anzahl vorzüglicher Gemälde ausgesprochene tonige Kraft des Helldunkels und der Farbenkontraste, diesem den juwelenhaften Glanz der Farbe, und – was bei der Betrachtung des Landschaftsmalers Spitzweg noch ausführlicher gesagt werden muß – die vielleicht nicht immer ganz natürliche, in ihrer malerischen Wirkung gleichwohl unübertreffliche Stimmung der Waldlandschaft. Der Romantiker Spitzweg, der vom Gegenstand kommt, trifft sich mit zwei Romantikern, deren Romantik aus der Farbe geboren wird. Die Erkenntnis der geistigen Verwandtschaft genügt bei dem Deutschen, um den Wunsch sogleich zu betätigen, sich ihrer würdig zu erweisen. Sein unbewußtes Streben, sein Sehnen, sein Unbefriedigtsein, alles wird angesichts der klaren Aussprache befreit. Die Begrenzung seiner Kunst weise erkennend, in seiner Selbstgenügsamkeit erhaben und zufrieden, blieb Spitzweg jedoch bei der Kleinmeisterlichkeit seines Welttheaterchens und versuchte sich nicht im hohen Pathos der Historienmalerei. Klug und bescheiden zugleich, sah er neidlos den großen Dramatikern zu, an deren Spitze sich Piloty in München stellte." (Uhde-Bernays)

Spitzweg

Spitzweg und Schleich entschlossen sich zu einer Fortsetzung der Reise nach London, wo sie vor allem die Landschaften von Constable und Turner studierten. Zugleich war ihnen freilich das Weltstadtgetriebe eine gehörige Last: ,,. . . Schleich versicherte mir, wenn er allein hier wäre, so würde er gleich heute Abend wieder abreisen; der Spektakel ist aber auch rein um des Teufels zu werden, wie der alte Münchner sagte, den ich in Versailles traf: 'Da schaugn's auf in London, da wann einer ausrutscht, ist er hin, der wird datrett'n und dafahr'n.' Doch mit Gottes Hilfe ging's bis jetzt gut ab und das Ohr und alle Sinne gewöhnen sich an die Verwirrung und den Lärm, der den in Paris weit übertrifft. Der erste Weg war natürlich in den Glaspalast. Aber erlaß mir eine Beschreibung, denn nach allem Gelesenen macht die Ausstellung doch noch den Eindruck des Ungeheuren so sehr, daß man leicht in Lügen verfallen könnte, wenn man in der ersten Hitze davon erzählt . . ."

44 Reisetage hat Spitzweg in seinem Wanderbüchlein vermerkt – es waren Tage, die ihm das Rüstzeug zum großen Maler gaben. Die innige Bekanntschaft mit den Werken der Meister von Fontainebleau und Barbizon, sowie der großen englischen Entdecker der Atmosphäre als Bildinhalt veranlaßten Spitzweg nach Gleichem zu streben, die 'Paysage intime' mit der weichen Durchsichtigkeit war ihm ein erstrebenswerter Begriff geworden. ,,So war ihm eine neue Richtung gewiesen und er folgte ihr, während die 'Grossen' um ihn – Cornelius, Kaulbach und andere – nicht abließen, an ihren Kartons und Fresken weiter zu malen." (Wilh. Spitzweg)

In den nun folgenden fünfzehn Jahren entstand Spitzwegs Hauptwerk, seine schönsten und bedeutendsten Bilder, die eine völlige Harmonie von Szene und malerischem Können ausstrahlen. ,,Zur Freiheit der Malerei gesellt sich die Klarheit des Tones, in dem sich der Meister niemals vergreift, und die Delikatesse seiner Farbenwahl bekundet als die schönste Eigenschaft des reifen Meisters, die zur Vollendung gediehene Ausbildung seines malerischen Geschmacks. Die Hand erreicht ein Allegretto der Technik, deren Leichtigkeit in der selbstverständlichen Art des Vortrags die Virtuosität der Könnerschaft vergessen macht. Was Spitzweg für die Beseeligung seiner Kunst aus Paris mitbringt, ist ein Hauch Chopinschen Geistes, der sich über der gemütvollen Sinnlichkeit Schubertscher Melodik gefangen hat." (Uhde-Bernays)

Seine Zeichenbücher, die sich auf all seinen Reisen und Spaziergängen mit Augenblicks-Skizzen, Bewegungs- und Kompositionsstudien füllten, dienten nicht nur der Erinnerung. Sie waren gewissermaßen die Vorarbeit für seine Bilder, die selbst oftmals geraume Zeit später entstanden. ,,Aus der großen Zahl der datierten Landschafts- und Architekturstudien können wir feststellen, daß Spitzweg ein ganz ungewöhnlicher Kenner der malerischen Winkel und Ecken von Salzburg, Wasserburg, Landshut, Regensburg, Nürnberg, von Rattenberg, Brixlegg und Bozen gewesen ist. Wie Rudolf Alt, dieser unermüdliche Wandersmann, von Stadttor zu Stadttor, zog Spitzweg überall dorthin, wo er stimmungsvolle Plätzchen aufzustöbern glaubte, die er dann mit seiner beweglichen Phantasie bevölkerte . . . Wer selbst einmal Spitz-

wegschen Geistes voll seine Spuren in den immer mehr verschwindenden Erinnerungen an die Zeit des Mittelalters und des Biedermeier suchen gegangen ist, wird vor allem in Rothenburg, das Spitzweg als einer der ersten entdeckt hat, und Tirol staunend echteste Spitzwegiaden wiederfinden. Da ist die Marienapotheke Alt-Rothenburgs mit dem Herrlichbrunnen, an dem der verliebte Apotheker sich brüstet, dort stehen Rothenburgs Klingentor, der Siebersturm mit dem tiefblauen Zifferblatt der Uhr und das Würzburger Tor, die Laubengänge von Sterzing und Alt-Bozen nehmen die Passagiere des Eilwagens auf, und sicher hat damals so mancher lustige Kauz gelebt, der jetzt als Briefträger oder Ratsherr, je nach Rang und Amtsgefühl, durch Spitzwegs Kunst wider sein Wissen unsterblich ward." (Uhde-Bernays)

Die Reiselust, die ihn viele Gegenden Europas kennenlernen ließ, nahm mit zunehmendem Alter ab. 1863 richtete er sich in München am Heumarkt 3 ein neues Atelier mit Wohnung ein, das in besonderem Maße seinen Wünschen entsprach. Ein Zeitgenosse beschrieb das neue Zuhause. „Diese Wohnung fand sich nach kurzer Odysse am Heumarkt im Hause des wackeren bürgerlichen Tändlers Hasenmüller, drei steile, für Seiltänzer passende Treppen hoch, die jedoch bald einem gebahnten lichten Aufgang wichen, mit wünschenswertem Nordlicht und der teilweisen Aussicht auf endlose Dächer, Giebel, Türme und dem herrlichen Horizont mit den reichsten Luft- und Wolkenspielen, während sein, von Urväterhausrat strotzendes und deshalb ob drohender Feuergefahr unheizbares Schlafgemach gen Süden den weitesten Ausguck bis an die ferne Alpenkette gewährte. Und hier in stillster Ungestört-

heit, allein mit seinen Erinnerungen, zu malen, zu rauchen und einer erquicklichen Weltabgeschiedenheit zu obliegen, war seine einzige Wonne ..."
In diesem Milieu also entstanden jene bedeutenden Bilder, die der Nachwelt als das Werk Spitzwegs vor Augen stehen.

„Das Vorzimmer war mit angefangenen Bildern, fremden und eigenen Kunstwerken vollgestopft, im kleinen Atelier hingegen aber alle Wände voll davon. Von diesem gelangte man in die zu einer Galerie der Werke seiner Freunde Bürkel, Grützner, Schleich, Schwind, Stange u.a. umgewandelten Prunkstube. Ein dahinterliegendes, seit Dezennien stets verschlossenes Zimmer hütete er wie Ritter Blaubart den obersten Söller seiner Burg. Nach seinem Hinscheiden fanden sich darin die Studien, unvollendete Bilder und Skizzenbücher von Anbeginn seiner Künstlerlaufbahn aufgestapelt." (F. Pecht.)

1869 wurde auf Anregung und unter der Organisation von Eduard Schleich im Münchner Glaspalast eine Ausstellung der verehrten französischen Meister und der eigenen Arbeiten der Münchner Landschafts- und Genremaler gezeigt. Diese Ausstellung war für den Durchbruch der Romantiker in München von erheblicher Bedeutung. Auch der Kreis derer, die Spitzwegs Kunst zu schätzen wußten, vergrößerte sich stetig. Der nicht sehr große Erlös aus den Verkäufen genügte ihm bei seinen bescheidenen Lebensansprüchen, denn die echte Befriedigung war ihm die ständig wachsende Anerkennung. Spitzweg malte zu seiner Freude und beseelt von dem Wunsch, ein guter Maler zu sein und die künstlerischen Probleme, die er beim Malen erkannte, zu meistern.

Der Graf von Schack war einer der prominenten Käufer und auch Prinzregent Luitpold verschaffte sich öfters Zugang beim Künstler, was nicht ganz leicht gewesen sein soll, da Spitzwegs Haushälterin als Zerberus fungierte.

Graf von Schack schrieb in seinem Buch über seine Gemäldesammlung: „. . . Dienstmädchen, die ihrer Herrschaft den Kaffee präsentieren, bayerische Gebirgsbauern, an denen die nackten Knie das Interessanteste sind, finden sich nicht in meiner Sammlung. Hoch über dieser untergeordneten Art des Genre stehen, nach meiner Meinung, die Gemälde von Carl Spitzweg, und ich habe deshalb immer eine große Vorliebe für sie gehabt. Sie sind ebenso voll von Humor, wie von tiefem und feinem Gefühl, und auch die malerische Ausführung läßt nichts zu wünschen übrig."

Mit dem Kunstkritiker Friedrich Pecht verband ihn, wie man aus Briefen und Bemerkungen ersehen kann, ein herzliches Verhältnis. Überhaupt gab sich Spitzweg in seinem Wesen gegenüber seinen Mitmenschen ähnlich wie die Figuren seiner Bilder. Sein unbefangener Witz hat sich in seinen Briefen erhalten, aus denen, ebenso wie aus seinen Gedichten zu spüren ist, daß er auch sich selbst aus seiner ironischen Betrachtungsweise nicht ausnahm.

1874 verließ Spitzweg nochmals sein heimisches Atelier um vor der in München ausgebrochenen Choleraepidemie nach Tirol zu fliehen. Er war rechtzeitig entkommen, während Freund Schleich der Krankheit erlag. Elf schaffenserfüllte Jahre später, in denen es auch an offiziellen Ehrungen nicht fehlte, starb Carl Spitzweg, am 23. September 1885, nach einem Schlaganfall in seiner Wohnung am Heumarkt.

Ein Zeugnis, daß sich Spitzweg bei vielen Zeitgenossen großer Wertschätzung erfreute, ist ein Ausstellungsbericht, in dem der große Adalbert Stifter – selbst ein begnadeter Maler – über ihn schrieb: „Eines der trefflichsten Bilder der Ausstellung, ja nach unserer Meinung das bei weitem vollendetste und künstlerischste ist jetzt nicht mehr ausgestellt (es wurde verkauft). Wir meinen Spitzwegs „Spaziergang". Wie Spitzweg überhaupt in den Bildern, die uns bekannt geworden sind, liebliche Schalkhaftigkeit zur Anschauung bringt, so ist in diesem kleinen Bilde, auf welchem in einer ebenen anspruchslosen Gegend, die eine heitere Fernsicht gewährt, und hinter Gebüschen den Turm einer ländlichen Kirche zeigt, der Pfarrer, oder es könnte auch der Schulmeister sein, lesend auf einem schmalen Fußwege sein Hündchen vor sich auf einem Nachmittagsspaziergange begriffen ist, eine ganz besondere Anmut, Stille, Einfachheit und Lieblichkeit ausgegossen. Dies ist das Grundwesen des Bildes, das in jedem Tone, in jeder Farbe, in jeder Linie erscheint. Die Bearbeitung dieses Werkes ist, wie es von Spitzweg zu erwarten war, eine durchaus künstlerisch meisterhafte. Die wolkige aber sonnige Nachmittagsluft ist so rein, klar, duftig und durchsichtig hinaus gewölbt, wie wir sie nicht oft gesehen haben, denn selbst bei trefflichen Künstlern ist sie nicht selten eine mehr oder minder steilrechte Wand, die Ferne ist mit den wenigsten Mitteln so sicher hingestellt, daß das Auge mit Vergnügen auf ihr weilt, und den Weg der hinausgeht, verfolgt, als ginge er weit und weit dahin. Daß die vollkommenste Übereinstimmung in Farbe und Linien vorhanden ist, macht eben dieses Gemälde in künstlerischer Beziehung so ausgezeichnet".

Der Malerpoet Carl Spitzweg ist der volkstümlichste und populärste deutsche Künstler. Sein Werk spricht die Menschen in besonderer Weise an. Das große Interesse, das eine breite Öffentlichkeit den Bildern und den Bildinhalten seines Oeuvres entgegenbringt, löst bei vielen Kunstfreunden Beklemmung und Ablehnung aus, die mit Sicherheit unbegründet sind. Spitzweg gilt Vielen als allzu populär, seine Bilder als Kitsch. Übersehen wird dabei, daß der Maler innerhalb seines Themenkreises eine große Spannweite hatte, daß seine lautere künstlerische Persönlichkeit nicht daran gemessen werden kann, in welche gewerblichen Niederungen sich das Abbild seiner Kunst zwängen läßt. Spitzweg war ein bedeutender Künstler, der sich seiner Grenzen sehr wohl bewußt war. Sein reiches Werk legt Zeugnis ab von seinem unablässigen Versuch, strebend seine Arbeit zu vervollkommnen. Daß er in seinem Werk zum überragenden Chronisten einer Zeit wurde, deren Verlust wir Menschen des Zwanzigsten Jahrhunderts insgeheim, unbewußt oder offen nachtrauern, und in die wir einer menschlichen Neigung gemäß viel Schönes hineinlegen, auch wenn die damaligen Zeiten in Wahrheit gar nicht so erfreulich waren, daß Spitzwegs Werk also Dokument der „Guten Alten Zeit" wurde, kann man ihm nicht anlasten.

Spitzwegs Bilder sind eine Chronik eines vergangenen Lebensstils, stimmungsvolle Einblicke in die heile Welt des Biedermeier. Genau beobachtet und phantasievoll ausgeschmückt, erzählen sie von einem vergangenen Dasein. Heiter, beseelt, zuweilen nicht ohne freundlichen Spott, doch immer erfüllt von einer warmen Menschlichkeit. Spitzweg liebte die pittoreske kleinbürgerliche Welt. Selbst wenn er sich in Bildern Ausflüge in ferne Welten erlaubte, wurden seine Gestalten, die den morgenländischen Harem wie die jüdische Synagoge bevölkerten, geprägt von solider Bürgerlichkeit. Eine anteilnehmende Weisheit, ein gütiges Verständnis, sei es für Schrullen oder alltägliches Handwerk, liegt als Grundstimmung über den Bildern. Bestimmten Themen galt seine Vorliebe: die ausgeprägte Lust am Reisen fand ihren Niederschlag in den zahlreichen Kutschen- und Reisebildern, in den sich unter immer neuen Umständen wiederholenden Zollrevisionen, in Bildern von Reisefährnissen und Reisefreuden. Ebenso ist die tändelnde Verliebtheit der Menschen ein in mancherlei Varianten aufgegriffenes Thema, oder wie schon an anderer Stelle angesprochen, die Welt der Komödianten.

Spitzweg ist Romantiker, doch hat sich seine Kunst weit vom gedanklichen Tiefgang und von der großen Geste eines Caspar David Friedrich weg entfernt. Die große Szene, die bedeutungsschwere Landschaft, der Mensch als Zwischenglied von Erde und Kosmos, wandelt sich bei Spitzweg in die idyllische Genreszene, in die kleine Gegend am Stadtrand. Und der Mensch in Spitzwegs Bildern steht nicht im Spannungsfeld von Geisteswelt und Erdenreich; der Mensch ist vielmehr verstrickt in seinen Alltag, beschäftigt mit der Tücke und den Mühen seines täglichen Daseins, liebenswürdig und liebenswert in seiner kleinen Bescheidenheit, unendlich weit entfernt vom Sphärenklang der Weltenharmonie.

Doch Spitzwegs Gesichtskreis ist bei weitem nicht so eng, wie es uns scheinen möchte. Ein weitgereister, weltgewandter Mann beschränkte seine Kunst bewußt auf das intime Nächstliegende, versuchte die Vollkommenheit in der kleinen Form zu erreichen, wurde dabei der Hauptmeister der Spätromantik, jener Zeit, die wir heute mit dem Begriff Biedermeier etikettieren. Das kleinstädtische Bürgermilieu einer stehengebliebenen Zeit, althergebrachte Stadtstrukturen mit winkeligen Häusern, waren seine Welt. Undenkbar, daß die Prachtbauten des neuen München, die um ihn herum entstanden, daß die großflächigen Historienmalerein, der ganze Pomp der neuen Zeit hätten Eingang in seine Bilderwelt finden können. Eine leise Melancholie liegt als Grundstimmung über Spitzwegs Werk und über seinem Leben. Er war ein Letzter. Sein Lebens- und Wirkenskreis war ein Ende; der Abschied einer verlorenen Zeit.

Holzschnitte aus den „*Fliegenden Blättern*"

En avant?

„Über die Hauptpunkte sind wir einig, wir und die beim Kaffeesieder drüben; es fragt sich jetzt nur, Herr Maier, ob Sie die Diktatur annehmen wollen, – wir könnten dann gleich am Dienstag nach dem Zapfenstreich anfangen."

Reisebilder

„. . . Nun aber komm, o reizende Chloe", sprach Damon, der lockige Hirtenknabe, „dort winket uns fröhlicher Reigen" – und so schwebten sie hin, fröhlich singend, und mischten sich unter die heitere Schar.

Wachstubenfliegen

„Drüben in der Jesuitenstraße soll man schon wieder einen Pfiff gehört haben. Herr Gefreiter Sattelbauer! Nehmens noch einen Mann mit und machens eine Patrouille hinüber, damit man weiß, was es denn eigentlich ist."

Naturgeschichte

Homo Xantippus
Tirannus domesticus
Familie der Contentiosen
zu Deutsch: Der Haustyrann (auch Brummbär, Hauskreuz, Zankeisen)

Naturgeschichte

Femina lucina
Obstretrix Succurrens
Familie der Adjuvanten
Zu Deutsch: Die Sagefemme oder Die Madame

Reisebilder

„Nein, da hast Du mir jetzt mit dem G'wand schon a rechte Überraschung bereitet zu meinem Namensfeste, Fatimeh! – . . . Wart! am Dreifaltigkeitssonntag nach der Moschee führ' ich dich a so auf'n Corso – du Gazellerl, du g'schmachs!"

Selbstgespräch an einer Straßenecke

In die Menaschrie? Nein – Menaschrie hab ich schon oft eine g'seh'n – so wildes Vieh sieht man überall genug –
Tanz auf 15 Flaschen aufgeführt von den zwei Benefiziaten – da geh' ich nein!!!"

Reisebilder

Lueg! Am Bosporus dunnerts – Was se nur habe?
D'Sultanin hant gewiß a Büble,
Dös schreib' i glei als Neuigkeit nach Schwabe,
Sonst möcht mirs d'Frau Bas verüble.

BILDTEIL

DER SCHMETTERLINGFÄNGER
Öl auf Leinwand. Um 1840
Städtisches Museum, Wiesbaden

SPAZIERGÄNGER AUF EINER BANK

Bleistiftzeichnung. Um 1875

Kunsthalle Bremen

DER HAGESTOLZ
Öl auf Pappe. Um 1845
Städtische Kunsthalle Mannheim

STUDIEN ZU EINEM HIRTEN
Bleistiftzeichnung. 1855 - 60
Staatliche Graphische Sammlung, München

◁

DER ANGLER
Öl auf Holz. Um 1875
Privatbesitz

STUDIE ZU EINEM STEHENDEN MANN
Bleistiftzeichnung. 1847
Staatliche Graphische Sammlung, München

MANN MIT ZIPFELMÜTZE
Bleistiftzeichnung. 1847
Staatliche Graphische Sammlung, München

MANN IM MORGENROCK MIT WASCHKRUG
UND VERSCHIEDENE STUDIEN
Bleistiftzeichnung. 1855/60
Staatliche Graphische Sammlung, München

DER NEUE ORDEN
Bleistift, schraffiert. 1855/60
Staatliche Graphische Sammlung, München

▷

DER SCHREIBER
Öl auf Malpapier. Um 1850
Neue Pinakothek, München

STUDIENBLATT MIT ACHT KINDERZEICHNUNGEN
Bleistiftzeichnung. 1855 - 60
Staatliche Graphische Sammlung, München

INSTITUTSSPAZIERGANG
Öl auf Leinwand. Um 1860
Neue Pinakothek, München

DER HERR PROFESSOR
Öl auf Holz. Um 1860
Pfalzgalerie, Kaiserslautern

▷

STEHENDER MANN, LESEND
Bleistiftzeichnung. Um 1860
Staatliche Graphische Sammlung, München

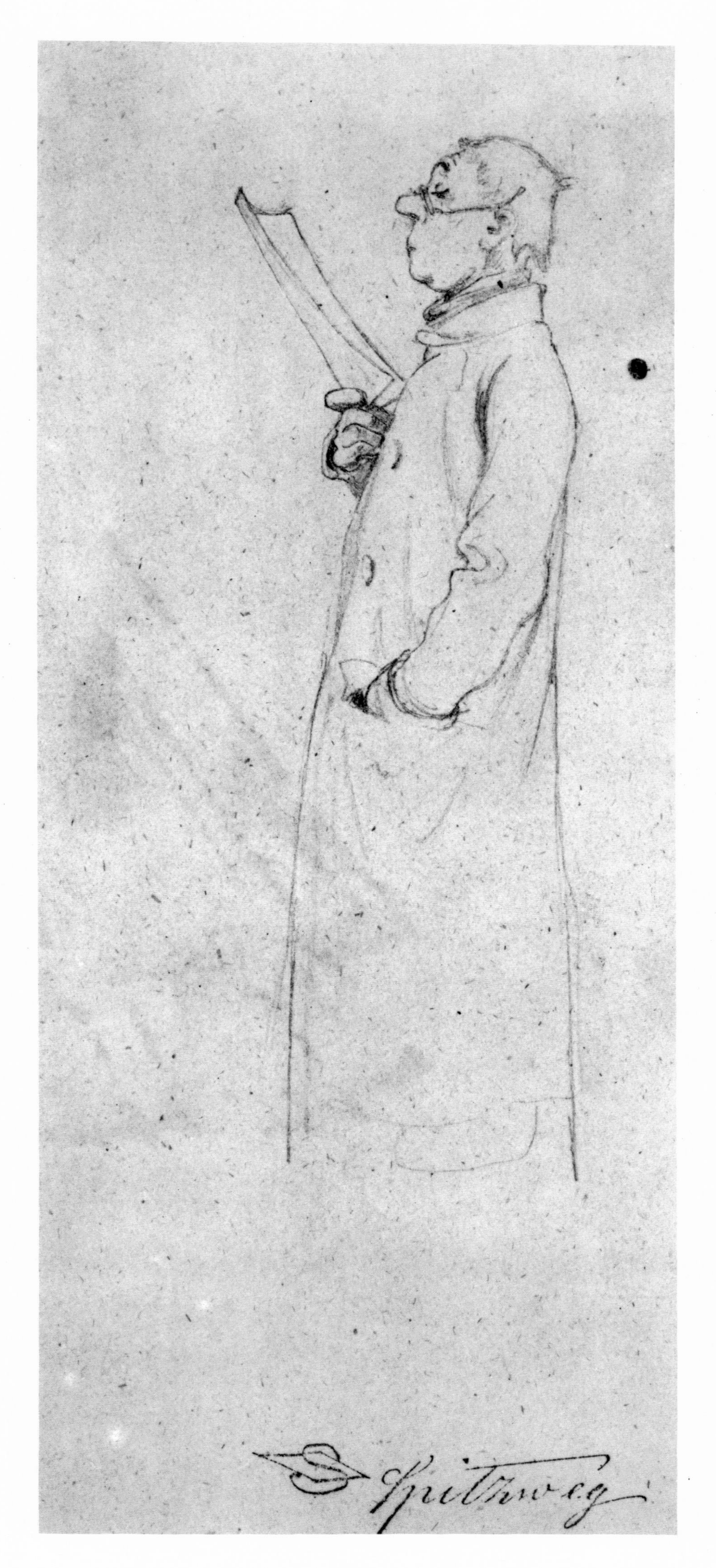

SITZENDER BAUERNJUNGE
MIT STOCK
Bleistiftzeichnung. Um 1850
Staatliche Graphische
Sammlung, München

SITZENDER JUNGE, NACH
LINKS GEWANDT
Bleistiftzeichnung. Um 1850/56
Staatliche Graphische
Sammlung, München

KNABE MIT UMHÄNGETASCHE
Bleistiftzeichnung. Um 1850
Staatliche Graphische Sammlung, München

SCHIEBENDER MANN IN RÜCKENANSICHT
Bleistiftzeichnung. Um 1850
Süddeutsche Privatsammlung

▷

DER STELLWAGEN
Öl auf Leinwand. 1880
Von der Heydt Museum, Wuppertal

KORBTRAGENDER MÄDCHENAKT
Bleistiftzeichnung. Um 1850
Privatbesitz

BADENDE
Öl auf Karton. Um 1873
Privatbesitz

DER SONNTAGSJÄGER
Bleistiftzeichnung. Um 1845-50
Kunstsammlung der Universität,
Göttingen

◁

JÄGER IM WALD
Öl auf Malpappe. Um 1871
Privatbesitz

ALTE BÄUERIN IN TRACHT MIT ROSENKRANZ
Bleistiftzeichnung. 1857
Staatliche Graphische Sammlung, München

DACHAUERIN IN TRACHT MIT GEBETBUCH
Bleistiftzeichnung. 1858
Staatliche Graphische Sammlung, München

LAUFENDER JUNGE UND EINZELSTUDIEN
Bleistiftzeichnung. Um 1860
Staatliche Graphische Sammlung, München

▷

DER BESUCH DES LANDESVATERS
Öl auf Karton. Um 1870
Neue Pinakothek, München

DER ARME POET
Bleistiftzeichnung, 1837
Staatliche Graphische Sammlung, München

DER ARME POET
Öl auf Leinwand. 1839
Neue Pinakothek, München

DER ALCHIMIST (Ausschnitt)
Öl auf Leinwand. Um 1860
Staatsgalerie, Stuttgart

ZWEI ALCHIMISTEN
Bleistiftzeichnung. Um 1875
Städtische Galerie, München

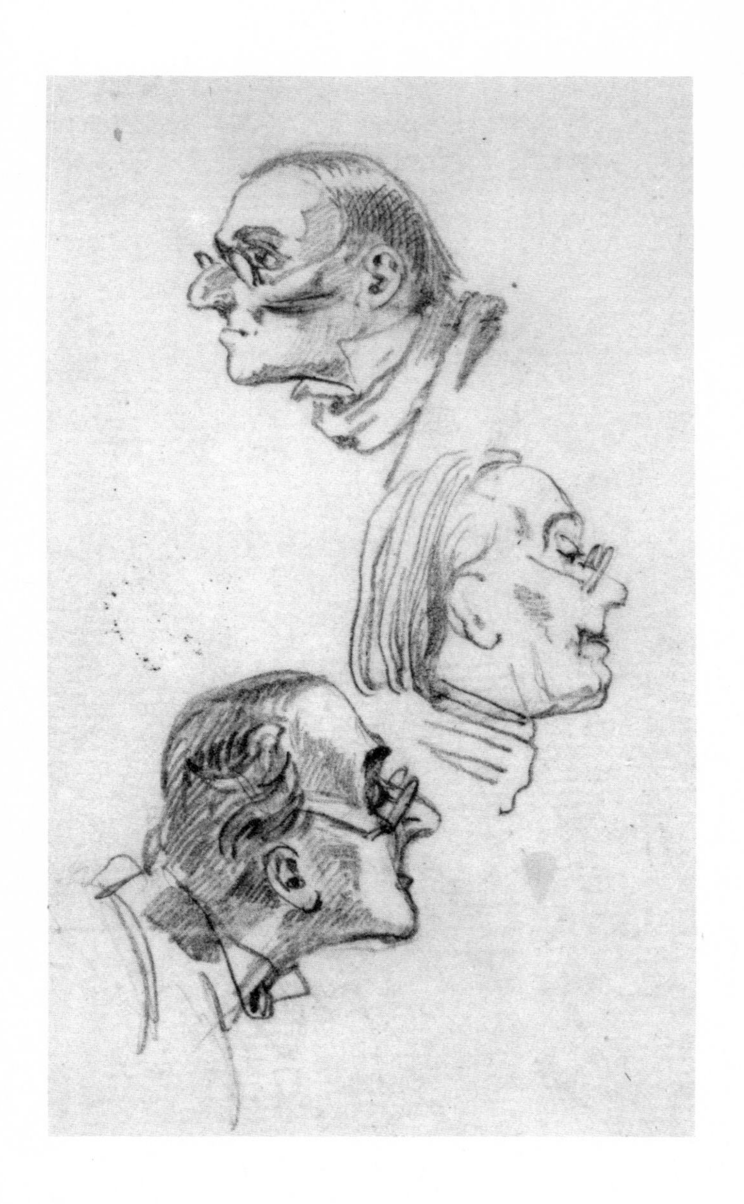

STUDIENBLATT MIT VIER
MÄNNLICHEN KÖPFEN (Ausschn.)
Bleistiftzeichnung. Um 1850
Staatliche Graphische
Sammlung, München

STALLINNERES IN PARTENKIRCHEN
Bleistiftzeichnung. 1833
Staatliche Graphische Sammlung, München

▷

BAUERNHOF AM SEE MIT WASCHSTEG
Bleistiftzeichnung. 1856
Graphische Sammlung der Staatsgalerie, Stuttgart

DER ANTIQUAR
Bleistiftzeichnung. 1855 - 60
Kestner Museum, Hannover

▷

KUNST UND WISSENSCHAFT
Öl auf Leinwand. Um 1880
Slg. Gräfin A. Zichy-Thyssen

MÖNCH MIT BUCH, IN SCHRITTSTELLUNG
Bleistiftzeichnung. Um 1845 - 50
Staatliche Graphische Sammlung, München

VERDÄCHTIGER RAUCH
Öl auf Leinwand. Um 1860
Privatbesitz

HAUS IN DINKELSBÜHL
Bleistiftskizze. 1858
Staatliche Graphische Sammlung, München

◁

EIN STÄNDCHEN
Öl auf Leinwand. Um 1868
Privatbesitz

TROSTBERG
Bleistiftzeichnung. 1862
Staatliche Graphische Sammlung, München

▷

SCHONDORF AM AMMERSEE
Bleistiftzeichnung. 1858
Staatliche Graphische Sammlung, München

STUDIE ZU EINEM BOTEN MIT PAKET
Bleistiftzeichnung. Um 1855
Kunsthalle, Hamburg

▷

DER BRIEFBOTE IM ROSENTAL
Öl auf Leinwand. Um 1858
Universitätsmuseum, Marburg

Im
Rosenthal

DER LANDSCHAFTSMALER
Bleistiftzeichnung. Um 1860
Museum Folkwang. Essen

DER MALER IM GARTEN
Öl auf Karton. 1882
Stiftung Oskar Reinhart, Winterthur

◁ BETTELMUSIKANT
Öl auf Holz. Um 1884
Neue Pinakothek, München

▷

BETTLER IN HOLZSCHUHEN
UND SCHIEBERMÜTZE
Bleistiftzeichnung. Um 1845
Süddeutsche Privatsammlung

SKIZZENBLATT MIT
VERSCHIEDENEN PERSONEN
(Ausschnitt)
Bleistiftzeichnung. Um 1855
Staatliche Graphische Sammlung, München

▽

FEUER ANFACHENDER MANN

Bleistiftzeichnung. Um 1850

Staatliche Graphische Sammlung, München

HANDWERKSBURSCHEN IN VIER VERSCHIEDENEN STELLUNGEN

Bleistiftzeichnung. Um 1846

Staatliche Graphische Sammlung, München

DER MÖNCH UND DAS MÄDCHEN IN DER TÜR
Bleistiftzeichnung. 1835
Staatliche Kunsthalle, Karlsruhe

▷

DER ABGEFANGENE LIEBESBRIEF
Öl auf Leinwand. Um 1860
Sammlung Georg Schäfer, Obbach

FRAU MIT AUFGESTÜTZTEM ARM,
NACH LINKS BLICKEND
Bleistiftzeichnung. Um 1850
Privatbesitz

WÄSCHERINNEN AM BRUNNEN
Öl auf Holz. 1882
Hessisches Landesmuseum, Darmstadt

BIERTRINKER AM TISCH
Bleistift, aquarelliert. 1855/60
Staatliche Graphische Sammlung, München

◁

DIE SCHILDWACHE
Öl auf Holz. Um 1876
Neue Pinakothek, München

SCHLAFENDER SOLDAT NACH HINTEN ZURÜCKGELEHNT
Bleistiftzeichnung. Um 1850
Staatliche Graphische Sammlung, München

▷

SOLDAT MIT KANONE AUF DEM WALL
Bleistiftzeichnung. Um 1860
Privatbesitz

Spitzweg

HAUS IN DINKELSBÜHL
Bleistiftzeichnung. 1858
Staatliche Graphische Sammlung, München

▷

DIE STORCHENAPOTHEKE
Öl auf Pappe. Nach 1877
Von der Heydt Museum, Wuppertal

PORTRAITSTUDIE (Frl. Zwengauer)
Bleistift auf rötlichem Papier
Um 1855-60
Süddeutsche Privatsammlung

DER SONNTAGSSPAZIERGANG
Öl auf Holz. 1841
Museum Carolino Augusteum, Salzburg

'TRETEN SIE EIN MEINE HERRSCHAFTEN'
HARLEKIN UND KOLUMBINE
Bleistiftzeichnung. Um 1860
Kestner Museum, Hannover

◁

HINTER DEN KULISSEN (Ausschnitt)
Öl auf Leinwand. Um 1855 - 60
Neue Pinakothek, München

STUDIENBLATT MIT FIGUREN
Bleistiftzeichnung. Um 1855
Staatliche Graphische Sammlung, München

◁

STUDIENBLATT MIT FIGUREN
Ausschnitt: HELD

STUDIENBLATT MIT GROTESKEN
Ausschnitt: NACHTWÄCHTER

▷

STUDIENBLATT MIT ACHT GROTESKEN
Bleistiftzeichnung. Um 1855
Staatliche Graphische Sammlung, München

HAUS IN DINKELSBÜHL

Bleistiftzeichnung. 1858

Staatliche Graphische Sammlung, München

▷

EINGESCHLAFENER NACHTWÄCHTER

Öl auf Karton. 1877

Kurpfälzisches Museum, Heidelberg

DER EMPFANG AM WAGEN (Ausschnitt)
Bleistiftzeichnung. 1845-50
Museum Folkwang, Essen

DIE JUGENDFREUNDE
Öl auf Leinwand. Um 1855
Städtische Galerie, München

DER BÜCHERWURM
Öl auf Leinwand. Um 1850
Sammlung Georg Schäfer, Obbach

▷

DREI GEBÜNDELTE BÜCHERPAKETE
Bleistift auf grauem Papier. Um 1845
Staatliche Graphische Sammlung, München

REISENDE GESELLSCHAFT
Bleistiftzeichnung. Um 1870
Staatliche Graphische Sammlung, München

▷

DIE ZOLLREVISION
Bleistiftzeichnung. 1860/70
Museum Folkwang, Essen

Spitzweg

MÄDCHEN MIT KORB UND ZIEGE
Bleistift auf getöntem Papier. 1861
Städtische Galerie, München

▷

MÄDCHEN MIT ZIEGE
Öl auf Papier, auf Karton aufgezogen. 1861
Sammlung Georg Schäfer, Obbach

SITZENDER MANN MIT WEINFLASCHE
Bleistift auf rötlichem Papier. Um 1960
Staatliche Graphische Sammlung, München

DER WITTWER
Öl auf Leinwand. Nach 1845
Bayerische Staatsgemäldesammlungen, München

ROSENDUFT, ERINNERUNG
Öl auf Leinwand. 1849
Kunstmuseum, Bern

▷

STEHENDER MANN MIT SCHIRMMÜTZE
Bleistiftzeichnung. Um 1855
Staatliche Graphische Sammlung, München

TIROLER BAUERNHAUS AN EINEM WEINBERG
Bleistiftzeichnung. 1846
Staatliche Graphische Sammlung, München

▷

BURG TAUFERS
Bleistiftzeichnung. 1845
Staatliche Graphische Sammlung, München

TANNE
Bleistiftzeichnung. 1837
Kunsthalle, Kiel

▷

DER GEOLOGE
Öl auf Leinwand. Um 1863
Von der Heydt Museum, Wuppertal

Spitzweg

ALTES STÄDTCHEN
Öl auf Pappe. Um 1880
Niedersächsisches Landesmuseum, Hannover

◁

WACHTPOSTEN MIT GESCHULTERTEM GEWEHR
Bleistiftzeichnung. Um 1850
Staatliche Graphische Sammlung, München

DER KAKTUSFREUND
Öl auf Leinwand. Um 1856
Sammlung Georg Schäfer. Obbach

▷

SCHREITENDER MÖNCH
Bleistiftzeichnung. Um 1860
Staatliche Graphische Sammlung, München

STUDIENBLATT MIT VIER KÖPFEN
Bleistiftzeichnung auf
grauem Papier. Um 1850
Staatliche Graphische
Sammlung, München

STUDIENBLATT MIT ZWEI
MÄNNLICHEN KÖPFEN
Bleistiftzeichnung. Um 1850
Staatliche Graphische
Sammlung, München

STUDIE ZU EINEM HERRN AUF PFERDERÜCKEN
Bleistift auf rötlichem Papier. Um 1860
Staatliche Graphische Sammlung, München

BEI STURM UND REGEN
Bleistiftzeichnung. Um 1870
Kestner Museum, Hannover

▷

DER HYPOCHONDER
Öl auf Leinwand. Um 1866
Schack-Galerie, München

NÄCHTLICHE RUNDE ▷
Öl auf Leinwand. Um 1879
Neue Pinakothek, München

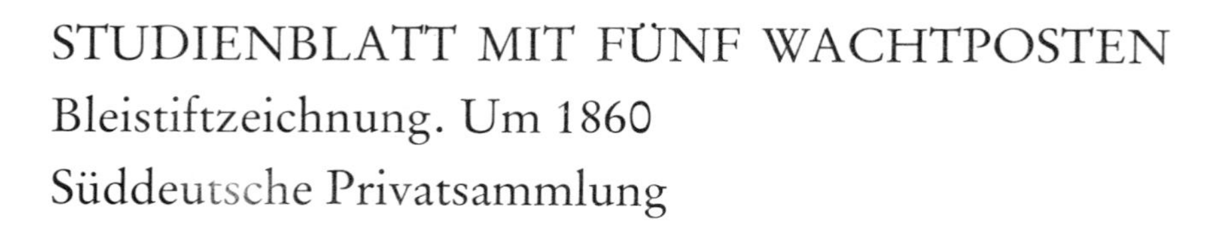

STUDIENBLATT MIT FÜNF WACHTPOSTEN
Bleistiftzeichnung. Um 1860
Süddeutsche Privatsammlung

▽

▷

DER GRATULANT
Öl auf Holz. Um 1860
Niedersächsisches Landesmuseum, Hannover

DER BESUCH
Bleistiftzeichnung. 1855 - 60
Staatliche Graphische Sammlung, München

EINE GRUPPE VON JUDEN
Bleistiftzeichnung. 1849
Staatliche Graphische Sammlung, München

▷

JESUITENPATER
Bleistiftzeichnung. Um 1845
Staatliche Graphische Sammlung, München

STUDIE FÜR EINEN ASTROLOGEN
MIT FLIEGENKLATSCHE
Bleistiftzeichnung. Um 1855
Privatsammlung

Verzeichnis der Abbildungen

EDUARD GRÜTZNER — Frontispiz
SPITZWEG ZEICHNEND. 1884
Bleistiftzeichnung 28,4 x 23,4 cm
Sammlung Georg Schäfer, Obbach

IM WIRTSHAUS. Um 1850 — 8
Bleistiftzeichnung. 17,6 x 22 cm
Kestner Museum, Hannover

ZUSCHAUER VOR EINEM KASPERLTHEATER. — 9
Um 1855
Bleistiftzeichnung. 21,7 x 34,5 cm
Kestner Museum, Hannover

AM 'FORUM ROMANUM' — 10
Reisende vor antikem Bauwerk. Um 1850
Federzeichnung über Bleistift. 21,3 x 29,9 cm
Graphische Sammlung Albertina, Wien

ROKOKO BEICHTSTUHL. Um 1860 — 12
Bleistiftzeichnung. 20,3 x 15,8 cm
Staatliche Graphische Sammlung, München

STUDIENBLATT MIT ZWÖLF GROTESKEN. — 14
Um 1855
Bleistiftzeichnung. 21 x 32,3 cm
Graphische Sammlung Albertina, Wien

DER HENGST. Um 1870 — 15
Bleistiftzeichnung. 20,8 x 33,8 cm
Süddeutsche Privatsammlung

SONNWENDFEST DER MÜNCHNER — 16
LIEDERTAFEL. 1843
Bleistiftzeichnung. 14,7 x 21,8 cm
Staatliche Graphische Sammlung, München

STUDIENBLATT MIT ZEHN GROTESKEN. — 18
Um 1855
Bleistiftzeichnung. 21,1 x 33,3 cm
Staatliche Graphische Sammlung, München

DREI STUDIEN NACH ZWEI MÄDCHEN. — 19
Um 1850
Bleistiftzeichnung. 19,6 x 34 cm
Staatliche Graphische Sammlung, München

HAUS IN DINKELSBÜHL. 1858 — 20
Bleistiftzeichnung. 15,4 x 11,5 cm
Staatliche Graphische Sammlung, München

HÜGELIGE LANDSCHAFT MIT KIRCHE. Um 1850 — 22
Bleistiftzeichnung. 20,8 x 32,1 cm
Staatliche Graphische Sammlung, München

HAUPTSTRASSE IN MURNAU. Um 1855/60 — 23
Bleistiftzeichnung 21,2 x 33,6 cm
Staatliche Graphische Sammlung, München

SITZENDER MANN MIT BIERKRUG. Um 1850 — 24
Bleistift auf getöntem Papier. 30,5 x 22 cm
Staatliche Graphische Sammlung, München

STUDIENBLATT MIT VIERZEHN GROTESKEN. Um 1855 — 26
Bleistift auf getöntem Papier. 21 x 33,8 cm
Süddeutsche Privatsammlung

STUDIENBLATT MIT DREIZEHN GROTESKEN. Um 1855 — 27
Bleistift auf getöntem Papier. 21 x 33,6 cm
Graph. Slg. d. Universitätsbibl., Erlangen

AUMÜHLE IN ÜBERSEE. 1862 — 28
Bleistiftzeichnung. 21,8 x 24,9 cm
Staatliche Graphische Sammlung, München

Aus den „FLIEGENDEN BLÄTTERN" der Jahrgänge 1844-55 — 31-38
Holzschnitte nach Zeichnungen von Carl Spitzweg
mit zeitgenössischen Bildtexten

DER SCHMETTERLINGFÄNGER. Um 1840 — 41
Öl auf Leinwand. 31 x 25 cm
Städtisches Museum, Wiesbaden

SPAZIERGÄNGER AUF EINER BANK. Um 1875 — 42
Bleistiftzeichnung. 33,4 x 22,1 cm
Kunsthalle, Bremen

DER HAGESTOLZ. Um 1845 — 43
Öl auf Pappe. 18,4 x 22,3 cm
Städtische Kunsthalle, Mannheim

DER ANGLER. Um 1875 — 44
Öl auf Holz. 25 x 19 cm
Privatbesitz, München

STUDIEN ZU EINEM HIRTEN. Um 1855/60 — 45
Bleistift auf grauem Papier. 32,4 x 20 cm
Staatliche Graphische Sammlung, München

STUDIEN ZU EINEM STEHENDEN MANN. 1847 — 46 oben
Bleistift auf rötlichem Papier. 22,3 x 20,2 cm
Staatliche Graphische Sammlung, München

MANN MIT ZIPFELMÜTZE. 1847 — 46 unten
Bleistift auf rötlichem Papier. 22,3 x 20,2 cm
Staatliche Graphische Sammlung, München

STUDIEN ZU EINEM MANN IM MORGENROCK MIT WASCHKRUG. 1855/60 — 47
Bleistiftzeichnung. 32,4 x 20,2 cm
Staatliche Grphische Sammlung, München

DER NEUE ORDEN. 1855/60 — 48
Bleistiftzeichnung, schraffiert. 20,6 x 16,4 cm
Staatliche Graphische Sammlung, München

DER SCHREIBER, Um 1850 — 49
Öl auf Malpapier. 38,1 x 22,3 cm
Neue Pinakothek, München

STUDIENBLATT MIT ACHT KINDERZEICHNUNGEN. 1855/60 — 50
Bleistift auf grauem Papier. 19,9 x 33,2 cm
Staatliche Graphische Sammlung, München

INSTITUTSSPAZIERGANG. Um 1860 — 51
Öl auf Leinwand. 32,1 x 54,1 cm
Neue Pinakothek, München

DER HERR PROFESSOR. Um 1860 — 52
Öl auf Holz. 21,3 x 15,5 cm
Pfalzgalerie, Kaiserslautern

STEHENDER MANN, LESEND. Um 1860 — 53
Bleistiftzeichnung. 20,5 x 8,4 cm
Staatliche Graphische Sammlung, München

SITZENDER BAUERNJUNGE MIT STOCK. Um 1850 — 54 oben
Bleistiftzeichnung. 29,9 x 20,6 cm
Staatliche Graphische Sammlung, München

SITZENDER JUNGE, NACH LINKS GEWANDT. Um 1850/56 — 54 unten
Bleistiftzeichnung. 30,8 x 19,9 cm
Staatliche Graphische Sammlung, München

KNABE MIT UMHÄNGETASCHE. Um 1850/56 — 55
Bleistiftzeichnung. 31,3 x 20,3 cm
Staatliche Graphische Sammlung, München

SCHIEBENDER MANN IN RÜCKENANSICHT. Um 1850 — 56
Bleistift auf gelblichem Papier. 23,2 x 16 cm
Süddeutsche Privatsammlung

DER STELLWAGEN. 1880 — 57
Öl auf Leinwand. 42 x 27,5 cm
Von der Heydt Museum, Wuppertal

KORBTRAGENDER MÄDCHENAKT. Um 1850 — 58
Bleistiftzeichnung. 21,1 x 16,5 cm
Privatbesitz

BADENDE. Um 1873 — 59
Öl auf Karton. 20,6 x 32 cm
Privatbesitz, München

JÄGER IM WALD. Um 1871 — 60
Öl auf Malpappe. 23,7 x 18,6 cm
Privatbesitz, München

DER SONNTAGSJÄGER. Um 1845 - 50 — 61
Bleistift auf rötlichem Papier. 38,7 x 15,6 cm
Kunstsammlung der Universität, Göttingen

ALTE BÄUERIN IN TRACHT MIT ROSENKRANZ. 1857 — 62
Bleistiftzeichnung. 33 x 20,1 cm
Staatliche Graphische Sammlung, München

DACHAUERIN IN TRACHT MIT GEBETBUCH. 1858 — 63
Bleistiftzeichnung. 32,4 x 20,2 cm
Staatliche Graphische Sammlung, München

LAUFENDER JUNGE UND EINZELSTUDIEN. Um 1860 — 64
Bleistiftzeichnung, aquarelliert. 32 x 21,1 cm
Staatliche Graphische Sammlung, München

DER BESUCH DES LANDESVATERS. Um 1870 — 65
Öl auf Karton. 30,7 x 23,8 cm
Neue Pinakothek, München

DER ARME POET. 1837 — 66
Bleistiftzeichnung. 17,7 x 22,2 cm
Staatliche Graphische Sammlung, München

DER ARME POET. 1839 — 67
Öl auf Leinwand. 36,2 x 44,6 cm
Neue Pinakothek, München

DER ALCHIMIST (Ausschnitt). Um 1860 — 68
Öl auf Leinwand. 36 x 38 cm
Staatsgalerie, Stuttgart

ZWEI ALCHIMISTEN. Um 1875 — 69 oben
Bleistiftzeichnung. 21,6 x 19,6 cm
Städtische Galerie, München

STUDIENBLATT MIT VIER MÄNNLICHEN KÖPFEN. — 69 unten
Um 1850 (Ausschnitt)
Bleistift auf gelblichem Papier. 20,6 x 12,4 cm
Staatliche Graphische Sammlung, München

STALLINNERES IN PARTENKIRCHEN. 1833 — 70
Bleistiftzeichnung. 21 x 26,9 cm
Staatliche Graphische Sammlung, München

BAUERNHOF AM SEE MIT WASCHSTEG. 1856 — 71
Bleistiftzeichnung. 25,4 x 20,7 cm
Graphische Sammlung der Staatsgalerie, Stuttgart

DER ANTIQUAR. 1855-60 — 72
Bleistiftzeichnung. 33,2 x 21 cm
Kestner Museum, Hannover

KUNST UND WISSENSCHAFT. Um 1880 — 73
Öl auf Leinwand. 56,5 x 35 cm
Sammlung Gräfin Anita Zichy-Thyssen

MÖNCH MIT BUCH IN SCHRITTSTELLUNG NACH LINKS. Um 1845/50 — 74
Bleistiftzeichnung. 25 x 22 cm
Staatliche Graphische Sammlung, München

VERDÄCHTIGER RAUCH. Um 1860 — 75
Öl auf Leinwand. 31,5 x 53,5 cm
Privatbesitz, Augsburg

EIN STÄNDCHEN. Um 1868 — 76
Öl auf Leinwand. 39 x 22 cm
Privatbesitz, München

HAUS IN DINKELSBÜHL. 1858 — 77
Blatt aus dem Skizzenbuch Nr. 160. 20,2 x 15,4 cm
Staatliche Graphische Sammlung, München

TROSTBERG. 1862 — 78
Bleistiftzeichnung. 31,9 x 41,2 cm
Staatliche Graphische Sammlung, München

SCHONDORF AM AMMERSEE. 1858 — 79
Bleistiftzeichnung. 33,2 x 21,1 cm
Staatliche Graphische Sammlung, München

STUDIE ZU EINEM BOTEN MIT PAKET. Um 1855 — 80
Bleistiftzeichnung. 21,1 x 16,4 cm
Kunsthalle, Hamburg

DER BRIEFBOTE IM ROSENTAL. Um 1858 — 81
Öl auf Leinwand. 73,5 x 46,5 cm
Universitätsmuseum, Marburg

DER LANDSCHAFTSMALER. Um 1860 — 82
Textnotiz: Kennzeichen, Fundort, Zweck liegt überall so rum / um die Natur so recht in sich aufzunehmen u.z. analysieren.
Bleistift auf getöntem Papier. 33,9 x 22 cm
Museum Folkwang, Essen

DER MALER IM GARTEN. 1882 — 83
Öl auf Karton. 22 x 34,5 cm
Stiftung Oskar Reinhart, Winterthur

DER BETTELMUSIKANT. Um 1884 — 84
Öl auf Holz. 41,1 x 13 cm
Neue Pinakothek, München

SKIZZENBLATT MIT VERSCHIEDENEN PERSONENSTUDIEN (Ausschnitt). Um 1855 — 84 unten
Bleistiftzeichnung. 22 x 34,2 cm
Staatliche Graphische Sammlung, München

BETTLER IN HOLZSCHUHEN UND SCHIEBERMÜTZE. Um 1845 — 85
Bleistiftzeichnung. 33,2 x 20,3 cm
Süddeutscher Privatbesitz

FEUER ANFACHENDER MANN. Um 1845 - 50 — 86
Bleistiftzeichnung. 18,6 x 17,7 cm
Staatliche Graphische Sammlung, München

HANDWERKSBURSCHE IN VIER STUDIEN. Um 1846 — 87
Bleistiftzeichnung, 22 x 32,4 cm
Staatliche Graphische Sammlung, München

DER MÖNCH UND DAS MÄDCHEN IN DER TÜR. 1835 — 88
Bleistiftzeichnung. 17,4 x 19,8 cm
Staatliche Kunsthalle, Karlsruhe

DER ABGEFANGENE LIEBESBRIEF. Um 1860 — 89
Öl auf Leinwand, 54,2 x 32,3 cm
Sammlung Georg Schäfer, Obbach

FRAU MIT AUFGESTÜTZTEM ARM, NACH LINKS BLICKEND. Um 1850 — 90
Bleistiftzeichnung 21 x 16,4 cm
Privatbesitz

WÄSCHERINNEN AM BRUNNEN. 1882 — 91
Öl auf Holz. 29,5 x 38 cm
Hessisches Landesmuseum, Darmstadt

DIE SCHILDWACHE. Um 1870 — 92
Öl auf Holz. 32 x 19,2 cm
Neue Pinakothek, München

BIERTRINKER AM TISCH. 1855/60 — 93
Bleistiftzeichnung, aquarelliert. 31,5 x 19,8 cm
Staatliche Graphische Sammlung, München

SCHLAFENDER SOLDAT, ZURÜCKGELEHNT. Um 1850 — 94
Bleistiftzeichnung. 21,2 x 32,9 cm
Staatliche Graphische Sammlung, München

SOLDAT MIT KANONE AUF DEM WALL. Um 1860 — 95
Bleistiftzeichnung. 34,3 x 21 cm
Privatbesitz

HAUS IN DINKELSBÜHL. 1858 — 96
Blatt aus dem Skizzenbuch Nr. 160. 20,2 x 15,4 cm
Staatliche Graphische Sammlung, München

DIE STORCHENAPOTHEKE. Nach 1877 — 97
Öl auf Pappe. 27 x 22 cm
Von der Heydt Museum, Wuppertal

PORTRAITSTUDIE (Frl. Zwengauer). Um 1855-60 — 98
Bleistift auf rötlichem Papier. 34,5 x 21,2 cm
Süddeutsche Privatsammlung

DER SONNTAGSSPAZIERGANG. 1841 — 99
Öl auf Holz. 28 x 24 cm
Museum Carolino Augusteum, Salzburg

HINTER DEN KULISSEN (Ausschnitt). Um 1855-60 — 100
Öl auf Leinwand. 33,5 x 40,1 cm
Neue Pinakothek, München

'TRETEN SIE EIN, MEINE HERRSCHAFTEN!' — 101
Harlekin und Kolumbine. Um 1860
Bleistiftzeichnung. 35,4 x 21,9 cm
Kestner Museum, Hannover

STUDIENBLATT MIT FIGUREN. Um 1855 — 102
Bleistiftzeichnung. 22 x 34,2 cm
Staatliche Graphische Sammlung, München

STUDIENBLATT MIT ACHT GROTESKEN. Um 1855 — 103
Bleistiftzeichnung. 21,7 x 34 cm
Staatliche Graphische Sammlung, München

HAUS IN DINKELSBÜHL. 1858 — 104
Blatt aus dem Skizzenbuch Nr. 160. 20,2 x 15,4 cm
Staatliche Graphische Sammlung, München

EINGESCHLAFENER NACHTWÄCHTER. 1877 — 105
Öl auf Karton. 29 x 18,5 cm
Kurpfälzisches Museum, Heidelberg

DER EMPFANG AM WAGEN (Ausschnitt). 1845-50 — 106
Bleistift. 21,4 x 27 cm
Museum Folkwang, Essen

DIE JUGENDFREUNDE. Um 1855 — 107
Öl auf Leinwand. 30,5 x 42,5 cm
Städtische Galerie, München

DER BÜCHERWURM. Um 1850 — 108
Öl auf Leinwand. 49,5 x 26,8 cm
Sammlung Georg Schäfer, Obbach

DREI GEBÜNDELTE BÜCHERPAKETE. Um 1845 — 109
Bleistift auf grauem Papier. 33,7 x 21,1 cm
Staatliche Graphische Sammlung, München

REISENDE GESELLSCHAFT. Um 1870 — 110
Bleistiftzeichnung. 20,7 x 32,1 cm
Staatliche Graphische Sammlung, München

DIE ZOLLREVISION. 1860-70 — 111
Bleistiftzeichnung. 42,5 x 31,2 cm
Museum Folkwang, Essen

MÄDCHEN MIT KORB UND ZIEGE. 1861 — 112
Bleistift auf getöntem Papier. 16,2 x 11,6 cm
Städtische Galerie, München

MÄDCHEN MIT ZIEGE. 1861 — 113
Öl auf Papier, auf Karton aufgezogen. 36,2 x 29 cm
Sammlung Georg Schäfer, Obbach

SITZENDER MANN MIT WEINFLASCHE. Um 1860 — 114
Bleistift auf rötlichem Papier. 33,1 x 21 cm
Staatliche Graphische Sammlung, München

DER WITTWER. Nach 1845 — 115
Öl auf Leinwand. 42,7 x 49,6 cm
Bayerische Staatsgemäldesammlungen, München

ROSENDUFT, ERINNERUNG. 1849 — 116
Öl auf Leinwand. 38 x 31 cm
Kunstmuseum, Bern

STEHENDER MANN MIT SCHIRMMÜTZE. Um 1855 — 117
Bleistiftzeichnung. 16,2 x 9,7 cm
Staatliche Graphische Sammlung, München

TIROLER BAUERNHAUS AN EINEM WEINBERG. 1846 — 118
Bleistiftzeichnung. 23 x 30,2 cm
Staatliche Graphische Sammlung, München

BURG TAUFERS. 1845 — 119
Bleistiftzeichnung. 28,5 x 23 cm
Staatliche Graphische Sammlung, München

TANNE, 1837 — 120
Bleistiftzeichnung. 43,8 x 30,5 cm
Kunsthalle, Kiel

DER GEOLOGE. Um 1863 — 121
Öl auf Leinwand. 44 x 34,5 cm
Von der Heydt Museum, Wuppertal

WACHTPOSTEN MIT GESCHULTERTEM GEWEHR. Um 1850 — 122
Bleistiftzeichnung, 23,3 x 13,6 cm
Staatliche Graphische Sammlung, München

ALTES STÄDTCHEN. Um 1880 — 123
Öl auf Pappe. 15,3 x 34 cm
Niedersächsisches Landesmuseum, Hannover

DER KAKTUSFREUND. Um 1856 — 124
Öl auf Leinwand. 54,2 x 32,4 cm
Sammlung Georg Schäfer, Obbach

SCHREITENDER MÖNCH. Um 1860 — 125
Bleistiftzeichnung. 33,9 x 21 cm
Staatliche Graphische Sammlung, München

STUDIENBLATT MIT VIER KÖPFEN. Um 1850 — 126 oben
Bleistift auf grauem Papier. 35,6 x 20,3 cm
Staatliche Graphische Sammlung, München

STUDIENBLATT MIT ZWEI MÄNNLICHEN KÖPFEN. Um 1850 — 126 unten
Bleistiftzeichnung. 29,9 x 20,8 cm
Staatliche Graphische Sammlung, München

STUDIE ZU EINEM HERREN AUF PFERDERÜCKEN. Um 1860 — 127
Bleistift auf rötlichem Papier. 34,8 x 21,6 cm
Staatliche Graphische Sammlung, München

BEI STURM UND REGEN. Um 1870 — 128
Bleistiftzeichnung. 21,4 x 16,8 cm
Kestner-Museum, Hannover

DER HYPOCHONDER. Um 1866 — 129
Öl auf Leinwand. 53 x 31 cm
Schack-Galerie, München

STUDIENBLATT MIT FÜNF WACHPOSTEN. Um 1860 — 130
Bleistiftzeichnung. 20,5 x 33,8 cm
Süddeutsche Privatsammlung

NÄCHTLICHE RUNDE. Um 1879 — 131
Öl auf Leinwand. 32,4 x 54,2 cm
Neue Pinakothek, München

DER GRATULANT. Um 1860 — 132
Öl auf Holz. 21 x 12 cm
Niedersächsisches Landesmuseum, Hannover

DER BESUCH. 1855-60 — 133
Bleistiftzeichnung. 33,8 x 21,9 cm
Staatliche Graphische Sammlung, München

EINE GRUPPE VON JUDEN. 1849 — 134
Bleistiftzeichnung. 20,5 x 16,7 cm
Staatliche Graphische Sammlung, München

JESUITENPATER. Um 1845 — 135
Bleistiftzeichnung. 20,2 x 19,2 cm
Staatliche Graphische Sammlung, München

STUDIE FÜR EINEN ASTROLOGEN MIT FLIEGENKLATSCHE. Um 1855 — 136
Bleistiftzeichnung 35,5 x 21,5 cm
Privatbesitz

Verlag und Autor danken den Museen und Sammlungen für die freundliche Erlaubnis zur Veröffentlichung der abgebildeten Gemälde und Zeichnungen.

Fotonachweis: ARTOTHEK Jürgen Hinrichs, Planegg / Fotoarchiv F. Bruckmann KG, München / Staatsgalerie, Stuttgart / Staatliche Kunsthalle, Karlsruhe / Staatliche Graphische Sammlung, München / Kunsthalle Hamburg / Kunsthalle, Bremen / Museum Folkwang, Essen / Städtische Galerie, München